KB100741

엄마와 아기의 행복한 속삭임

사진

아기 이름

- -

태어난 날

- -

아기의 기질 : _____

_____

_____

엄마의 기질 : _____

_____

_____

우리 아기의 생활에서 느끼는 문제점이 있다면?

E : _____

_____

_____

A : _____

_____

_____

S : _____

_____

_____

기타 : _____

_____

_____

문제점의 원인은 무엇일까?

_____

_____

_____

베이비위스퍼러 & 해결사로서 엄마의 다짐

_____

_____

_____

"베이비위스퍼"의 아기 존중 육아법이란?

- ♥ 가장 먼저, 아기를 존중해주자 모든 아기는 언어와 느낌, 특별한 개성을 지닌 작은 인간이기에 마땅히 존중받아야 한다.

- ♥ 아기와 대화를 나누자 부모가 시간을 갖고 관찰하면서 아기가 하는 말을 이해하게 된다면, 아기도 만족하게 되고 가족 또한 안정되고 행복한 생활을 유지할 수 있다.

"베이비위스퍼" 육아 원칙

- ♥ P.C. 부모가 되자
- ♥ E.A.S.Y.로 편안하게 키우자
- ♥ S.L.O.W.로 속도를 늦추자
- ♥ H.E.L.P.로 아이의 독립성을 키우자
- ♥ T.L.C. 대화법으로 행복하게 키우자
- ♥ 정서적 F.I.T. 가르치기

P.C. 부모가 되자

P.C.는 모든 부모에게 필요하다. 아기의 수면, 음식, 행동을 살필 때, 놀이 시간에, 장 보러 갔을 때, 다른 아기들과 함께 있을 때, 즉 아기와 일상적인 상호작용에서 P.C.를 기억하면 항상 도움이 된다.

- ♥ 인내심 Patience
  부모 노릇을 잘하려면 인내심이 필요하다. 자칫 쉬운 방법으로 문제를 해결하다 보면 임기응변식 육아가 되어 아기와 부모 모두 힘들어진다. 인내심은 문제가 있을 때 아기의 변화를 이끌어내기까지 필요한 기다림과 끈기다.

- ♥ 의식 Consciousness
  아기가 태어나는 순간부터 부모는 아기가 바라보는 세상은 어떤지 알아야 한다. 의식은 항상 아기의 눈높이에 맞춰 귀를 기울이고 관찰하는 것이다. 그러다 보면 마침내 아기가 무엇을 원하는지 직관력을 갖게 된다. 또 의식은 일어날 수 있는 문제를 미연에 방지하기 위해 미리 철저하게 생각하고 계획하는 것이며, 아기의 길잡이가 되는 것, 즉 아이가 부모를 필요로 할 때 항상 옆에 있는 것이다.

E.A.S.Y.로 편안하게 키우자

왜 E.A.S.Y. 인가? E.A.S.Y.는 부모와 아이를 위한 합리적인 생활 방식이다. 각각의 문자는 주기적으로 반복된다. E. A. S.는 서로 밀접한 관계에 있기 때문에 어느한 가지에 변화가 생기면 보통 다른 것에까지 영향이 미친다. 아기는 하루가 다르게 변화하지만 각 문자의 순서는 변하지 않는다.

♥ 먹는다 Eat 아기의 하루는 먹는 것으로 시작된다. 처음에는 유동식만 먹다가 6개월이 되면 고형식을 함께 먹을 수 있다. 일과를 지키면 아기가 너무 많이 먹거나 너무적게 먹는 것이 아닌지 하는 걱정이 줄어든다.

♥ 활동한다 Activity 갓난아기는 엄마를 보면서 옹알이를 하거나 벽지 무늬를 응시하면서 논다. 그러다가 점차 커가면서 점차 환경과 상호작용이 활발해지는데, 이때일과를 잘 유지하면 아기가 지나친 자극을 받지 않도록 보호할 수 있다.

♥ 잔다 Sleep 아기는 자는 동안 큰다. 또한 낮잠을 잘 자면 밤에 더 오래 잔다. 심신이 편안해야 잠 또한 잘 잘 수 있는 것이다.

♥ 엄마 시간을 갖는다 You 규칙적인 일과가 없다면 매일매일이 예측 불허가 될 것이다. 아기도 힘들어지고 엄마도 쉴 틈이 없게 된다.

> **규칙적인 일과의 중요성**
>
> 아이들은 매일의 반복적이고 규칙적인 일과에 따라 생활하면 점차 도덕심이 발전한다. 이러한 일과는 아이에게 무엇을 해야 하는지 알게 해주므로 예정된 일상 안에서 아이들은 협조하는 법을 자연스럽게 배운다.

S.L.O.W.로 속도를 늦추고 아기의 언어를 이해하자

부모는 서두르지 말고, 욕심내지 말고, 천천히 아기의 언어를 배워야 한다. 아기가 칭얼거리거나 울 때 잠깐 멈춰서 아래의 간단한 방법을 따라 해보자. 단 몇 초밖에 걸리지 않는다.

♥ 멈춘다 Stop 울음은 아기의 언어라는 것을 기억하자.
♥ 귀를 기울인다 Listen 이 특별한 울음의 의미는 무엇일까?
♥ 관찰한다 Observe 아기가 어떻게 하고 있는가? 주변에 다른 일은 없는가?
♥ 종합적으로 평가한다 What's up 보고 들은 것을 토대로 평가하고 대처한다.

H.E.L.P.는 부모와 아이의 결속력을 강화하고, 아이를 위험으로부터 지키는 동시에 아이의 발전과 독립심을 격려해주는 원칙이다. 다시 말해, 육아의 핵심인 안정애착—아이는 안정적으로 애착이 형성되면 좀더 적극적으로 모험을 하고, 스트레스를 잘 조절하고, 새로운 능력을 배우고, 다른 사람들과 어울리고, 자신감을 갖고 환경에 쉽게 적응한다고 한다—을 유도하기 위한 주요 원칙이다.

♥ 물러선다 hold yourself back
서두르지 말고 아이가 준비되었다는 신호를 보일 때까지 기다리자.

부모는 보고 듣으면서 전체 상황을 파악한 후에 결정을 내린다. 아이가 필요로 하는 것을 예상하고 아이가 어떻게 반응하는지 알아본다. 또 아이에게 자신감을 심어주고 부모의 믿음을 전달한다. 물론 아이가 필요로 할 때 도움을 주되 간섭은 하지 않는다.

♥ 탐험한다 Encourage exploration
아이의 능력에 맞는 기회를 주자. 새로운 도전을 시도하면서 능력을 기르게 하자.

세상 경험을 하고 사물과 사람과 아이디어를 실험해볼 기회를 준다. 아이가 필요로 할 때 부모가 항상 그 자리에 있다는 것을 알게 하되 노심초사하지 말고 "앞으로 나가서 무엇이 있는지 알아보라."고 격려한다.

♥ 경계를 정해준다 Limit
아이가 극도의 좌절감, 격한 감정이나 위험에 빠지지 않도록 보살핀다.

부모의 역할을 알게 하고, 아이를 안전하게 지키고, 적절한 선택을 하도록 도와주고, 상처받지 않게 보호하는 경계를 정한다.

♥ 칭찬한다 Praise
어떤 일을 잘 해내거나 새로운 기술을 습득할 때 그리고 기특한 행동을 하면 칭찬해준다. 그러나 지나쳐서는 안 된다.

아이가 배우고 성숙하고 세상에 나가서 다른 아이들이나 어른들과 만날 때 원만하게 행동하도록 격려한다. 아이를 적절히 칭찬해주면 배우려고 하고 부모의 말을 좀더 잘 듣는다고 한다. 또한 그런 아이를 부모는 좀더 세심하게 돌본다.

항상 기억해야 할 H.E.L.P. 점검표

항상 H.E.L.P.를 염두에 두자. 아이를 키우다 보면 하루에도 몇 번씩 참기 힘든 일이 생긴다. 그럴 때 H.E.L.P.를 생각하면서 스스로에게 물어보자.

♥ H 나는 물러서 있는가 아니면 아이가 도움을 필요로 하기도 전에 성급하게 간섭하는가? H의 목적은 관찰이며 아이를 모른 체하거나 거부하는 것과 다르다.

♥ E 나는 탐험을 격려하는가 아니면 노심초사하는가? 하루 동안에도 아이가 탐험할 기회는 많이 있지만 부모가 방해할 수 있다. 예를 들어, 아이가 다른 아이와 놀 때 옆에서 대신 말을 해주는가? 아이가 혼자서 할 수 있는지 지켜보지 않고 대신해주는가? 끊임없이 지시하고 감시하고 참견하는가?

♥ L 나는 경계를 정해주는가 아니면 지나치게 관대한가? 많다고 해서 항상 좋은 것은 아니다. 아이에게 너무 많은 선택이나 자극을 주고 있지 않은가? 아이가 화를 내거나 공격적이 될 때까지 내버려두는가? 사탕이나 TV처럼 지나치면 좋지 않은 것들을 제한하는가? 아이에게 맞지 않는 것을 강요해서 힘들게 만드는가?

♥ P 나는 칭찬을 적절히 하는가 아니면 지나치게 하는가? 적절한 칭찬으로 아이가 협조적이고 친절하고 예의 바르게 행동하도록 격려하는가? 단지 그냥 앉아 있는 아이에게도 잘한다고 말하는 부모들이 있다. 그러면 결국 칭찬이 아이에게 아무 의미가 없어질 것이다.

T.L.C. 대화법으로 행복하게 키우자

부모는 아이와 서로 주고받는 대화를 해야 한다. 아이에게 귀를 기울이고 말을 하면 아이도 부모에게 귀를 기울인다. 부모가 아이의 옹알이를 이해하기 시작하면 아이도 부모가 하는 말을 배우기 시작한다. 아기가 유아가 되면 대화는 점점 활발해진다.

♥ 말한다 Talk 모든 것에 대해 이야기한다. 하루 일과, 아이의 활동, 주변에 보이는 것들을 묘사한다.

♥ 듣는다 Listen 아이의 언어와 비언어 표현에 주의를 기울이고 아이도 귀 기울이는 법을 배우게 한다.

♥ 확인한다 Clarify 잘못을 지적하는 인상을 주지 말고 정확한 말로 반복해서 들려주고 개념을 부연해준다.

정서적 F.I.T. 가르치기

F.I.T.는 아이가 뭔가를 느낄 때 아이에게 그 감정이 어떤 것인지 알게 해주고 적절한 행동을 하도록 도와주기 위해 부모가 자신을 환기시키는 방법이다. 이것은 아이가 강렬한 감정을 느끼거나 폭발 지경일 때는 물론이고 평소에도 필요하다.

♥ 느끼기 Feeling (감정을 인지한다) 아이의 감정을 회피하거나 무시하지 말고 인정한다. 아이가 자신이 느끼는 감정을 이해하도록 도와주자. 감정을 폭발할 때까지 기다리지 말자. 어떤 상황에서든 아이가 느끼고 있을 감정에 대해 설명한다.

♥ 개입하기 Intervening 특히 유아들에게는 부모가 말보다 행동으로 많은 것을 보여주어야 한다. 아이가 바람직하지 못한 행동을 하면 개입해서 지적해주고 그만두게 해야 한다.

♥ 말하기 Telling (아이에게 어떻게 행동해야 하는지 이야기한다) 부모는 어떻게 행동해야 하는지 가르쳐야 한다. 개입과 동시에 경계를 정해주고, 대안도 제공하자.

---

tip 아기가 울 때 생각해보자.

6주 이하의 아기가 울 때 시간을 생각해보면 아기가 원하는 것을 짐작할 수 있다. 그 외에도 다음과 같은 질문들을 해보자.

- 수유를 할 시간인가? (배고픔)
- 기저귀를 갈아주어야 하는가? (불편함이나 추위)
- 같은 장소에 또는 같은 자세로 계속 있었는가? (지루함)
- 30분 이상 깨어 있었는가? (피곤함)
- 많은 사람들과 함께 있었거나 여러 가지 활동을 했는가? (지나친 자극)
- 얼굴을 찡그리고 다리를 가슴으로 끌어당기는가? (가스)
- 먹고 나서 한 시간 정도 계속 우는가? (식도 역류)
- 먹은 것을 올리는가? (식도 역류)
- 방이 너무 덥거나 춥지 않은가, 아니면 옷을 너무 많이 입히지 않았는가? (체온)

월령별 E.A.S.Y. 일과

사람은 자신의 욕구가 어떻게 언제 충족이 될지, 다음에 어떤 일이 있을지 알고 있을 때 안정을 느끼고 자신감을 얻는다. 아기들도 마찬가지다. E.A.S.Y. 일과는 주기가 짧지만 어른들이 생활하는 것처럼 예측 가능한 사건을 반복하는 생활을 의미한다. 그렇지만 시간표는 아니다. 아기를 시계에 맞출 수는 없다. 부모는 아기들에게 요령을 가르쳐주고 유지하도록 지도해야 한다. 가장 효과적인 학습 방법은 반복이다. E.A.S.Y. 일과를 시작하면 조만간 어느 시간에 아기가 무엇을 필요로 하고 원하는지 알게 된다.

E.A.S.Y. 일지 기록하기!

부모들이 병원에서 집으로 와서 E.A.S.Y.를 시작할 때 일지를 정확하게 기록할 것을 제안한다. 4개월이 지난 아기의 경우는 일지에 '대변'과 '소변' 칸을 추가할 수 있다.

♥ 태어나서 6주까지 : 적응기   첫 6주는 아기가 적응하는 기간이며 E.A.S.Y.는 3시간을 한 주기로 한다. 이 시기에 아기는 혼자서는 아무것도 하지 못하며 먹고 자고 우는 것이 전부다.

3시간 E.A.S.Y.

E	7:00	아침 수유
A	7:30~7:45	(수유 시간에 따라)
S	8:30	(1시간 30분 낮잠)
Y		엄마의 자유 시간
E	10:00	수유
A	10:30~10:45	
S	11:30	(1시간 30분 낮잠)
Y		엄마의 자유 시간
E	1:00	수유
A	1:30~1:45	
S	2:30	(1시간 30분 낮잠)
Y		엄마의 자유 시간
E	4:00	수유
S	5:00~6:00	다음 수유와 목욕을 위한 짧은 낮잠(약 40분)
E	7:00	(급성장기에는 7:00와 9:00에 집중 수유한다)
A		목욕
S	7:30	취침
Y		엄마의 자유 시간
E	10:00~11:00	꿈나라 수유

♥ 6주에서 4개월까지 : 자다가 깨는 아기 아기는 체중이 늘고 먹다가 잠이 드는 경우가 줄어든다. 낮에 노는 시간이 늘어나고 밤에는 보통 11시에서 5~6시까지 잘 것이다. 울음은 6주 무렵에 절정에 이르지만 다음 2달 반에 걸쳐 점차 잦아들기 시작한다.

♥ 4개월에서 6개월까지: '4/4' 일과의 시작 아기들은 의식이 또렷해지고 주변과 더 활발하게 상호작용을 한다. 이런 비약적인 발달로 일과의 변화가 불가피해진다. 이제부터 '4개월/4시간 E.A.S.Y.'를 의미하는 '4/4' 일과로 바꿔야 한다. 낮에 노는 시간이 길어지고 밤에 더 오래 잘 수 있다.

♥ 6개월에서 9개월까지: 일관성 유지하기 아직 4시간 일과가 적당하지만 새로운 문제들이 발생한다. 또한 이전에 나타난 문제들이 지속되기도 한다. 6개월에도 중요한 급성장기가 있고, 고형식을 시작할 때가 되었으므로 7개월이 되면 꿈나라 수유를 생략한다. 이 시기의 가장 큰 문제점은 일관성을 유지하기 어렵다는 것이다. 아기가 일과를 지키지 못한다고 해도 적어도 엄마는 노력할 수 있다. "할 만하다 싶으면 모든 것이 바뀐다."고 엄마들이 흔히 하는 말을 기억하자.

♥ 9개월 이후의 E.A.S.Y. 9개월에서 1년 사이에 아기는 먹는 간격이 5시간까지 늘어날 수 있다. 하루 세 끼를 먹고, 중간에 간식으로 보충한다. 2시간 반에서 3시간까지 놀고 보통 18개월이 되면 오후에 한 번 낮잠을 잔다. 이제 E.A.S.Y.가 아니라 E.A.E.A.S.Y.에 가깝다. 하루 일과가 매일 정확하게 똑같지는 않지만 여전히 예측 가능하고 반복적이다.

4시간 E.A.S.Y.

E	7:00	아침 수유
A	7:30	
S	9:00	(1시간 30분~2시간 낮잠)
Y		엄마의 자유 시간
E	11:00	
A	11:30	
S	1:00	(1시간 30분~2시간 낮잠)
Y		엄마의 자유 시간
E	3:00	
A	3:30	
S	5:00~6:00	짧은 낮잠
Y		엄마의 자유 시간
E	7:00	(급성장기에는 7:00와 9:00에 집주 수유)
A		목욕
S	7:30	취침
Y		저녁은 엄마 시간!
E	11:00	꿈나라 수유(7~8개월까지 아니면 고형식을 잘 먹을 때까지)

신뢰감 형성을 위한 12가지 요령

아이가 자신의 감정을 이해하고 조절할 수 있는 정서적 능력은 부모와 안전한 애착에서 시작된다. 다음은 아기의 신뢰감을 형성하기 위한 방법을 12가지로 정리한 것이다.

01. 귀를 기울인다 아기 울음과 신체 언어를 해석해 아기가 왜 우는지, '기분'이 어떤지 이해한다.

02. E.A.S.Y. 계획을 따라 한다 아기들은 생활이 예측 가능하고 평화로울 때 무럭무럭 자란다.

03. 아기와 대화를 나눈다 아기에게 일방적으로 이야기하기보다 대화를 주고받는다. 눈을 마주보고 이야기한다. 아기가 아직 대답을 하지 못해도 모든 것을 감지하고 옹알이와 울음으로 '반응'을 보일 것이다.

04. 아기의 물리적 공간을 존중한다 아기가 아직 말귀를 못 알아듣는다고 해도 항상 다음에 무엇을 할 것인지 설명해준다.

05. 아기 울음을 무시하지 말고, 아기의 감정을 말로 설명해준다 아기는 느낌을 울음으로 표현한다. 아기의 울음을 대신 설명해주면 감정 언어에 일찍 익숙해질 것이다. (예) "피곤해서 졸린가보구나."

06. 아기의 감정을 알고 적절하게 행동한다 가령, 예민한 아기가 머리 위에 매달린 모빌이 돌아갈 때마다 울기 시작한다면, "너무 자극적이에요."라고 말하는 것이다. 음악은 끄고 그냥 보면서 놀 수 있게 해준다.

07. 어떤 방법이 아기를 달랠 수 있는지 알아낸다 아기는 기질에 따라 반응이 다르므로 달래는 방법을 달리하는 것이 좋다.

08. 아기가 처음부터 잘 먹을 수 있도록 미리 준비한다 만일 모유 수유에 문제가 있다면 즉시 수유 전문가의 도움을 받도록 하자.

09. 낮잠 시간과 취침 시간을 지킨다 아기가 충분히 잠을 자면 무슨 일이 생겨도 좀 더 수월하게 넘어갈 수 있다.

10. 노심초사하지 말고 아기가 탐험하고 독립을 즐기도록 한다 아기가 놀고 있을 때는 H.E.L.P.를 기억하자. 아기를 이해하고 아기의 속도를 존중하자. 엄마 무릎으로 기어오르고 싶어 하면 허락을 하자.

11. 아기의 컨디션이 최상인 시간에 활동을 계획한다 어떤 아기라도 지나치게 피곤하거나 자극을 받으면 감정적이 되기 쉽다. 일정을 계획하거나, 친척을 방문하거나, 다른 엄마들과 만날 때 아기의 기질과 시간을 감안하자.

12. 아기를 보살피는 사람들이 아기의 기질을 이해하고 인정하게 한다 만일 아기를 돌봐주는 사람을 고용한다면 며칠 동안 함께 지내면서 아기가 그 사람에게 어떻게 반응하는지 살펴보자. 아기가 낯선 사람에게 익숙해지려면 시간이 필요하다.

신뢰감을 무너트리는 행동들

부모들에게서 흔히 볼 수 있는 다음과 같은 태도는 아이의 신뢰감을 무너트린다.

♥ 아기의 감정을 존중하지 않고 무시한다. ("강아지가 뭐가 무섭다고 그래. 그만 울어.")

♥ 아기가 배가 부른데도 억지로 먹인다. ("조금만 더 먹어라.")

♥ 구슬려서 마음을 바꾸도록 한다. ("이제 같이 놀아라. 엄마 친구가 너와 같이 놀게 하려고 빌리를 데려온 거야.")

♥ 설명을 하지 않는다. (아기가 말을 하기 전부터 설명을 해야 한다)

♥ 놀이 그룹 등 새로운 상황을 제시하면서 무조건 아기가 좋아할 것이라고 생각한다.

♥ 소동을 피하기 위해 몰래 나간다. (엄마가 직장에 가거나 저녁에 외출을 할 때)

♥ 말("사탕은 안 된다.")과 행동(아기가 울면 항복한다)이 다르다.

| tip | 아이에게 절대 해서는 안 되는 말과 행동 |

- 체벌한다
- 찰싹 때린다
- 수치감을 준다 ("울보야.")
- 소리를 지른다
- 함부로 말한다
- 원망한다
- 위협한다
- 아이가 듣고 있는 자리에서 아이에 대해 이야기한다
- 낙인을 찍는다
- 아이가 대답할 수 없는 질문을 한다.

할 만하다 싶으면 모든 것이 변할 때 원인을 찾고 해결하자. 모든 부모들이 해결사가 될 수 있는 능력을 갖추고 있다. 단지 약간의 지침이 필요할 뿐이다. 문제를 해결하기 위해서는 스스로에게 적절한 질문을 해서 원인을 알아내고 상황을 변화시키는 계획을 세우거나 새로운 상황에 적응해야 한다. 부모들은 어떤 돌발 상황에서 실망하고 당황하는 경향이 있는데, 이때 부모는 한 발짝 뒤로 물러서서 무슨 일이 일어나고 있는지 분석해야 한다. 다음은 분석 방법으로 12가지 핵심 질문을 고안했다.

01. 아이가 앉거나 걷거나 말하는 등 새로운 능력을 배우고 있거나, 어떤 새로운 행동의 원인이 될 수 있는 성장 단계를 통과하고 있는가?

02. 이 새로운 행동이 아이의 성격과 부합하는가? 그렇다면 어떤 다른 요인(발달, 환경, 부모)이 발단이 되어서 그 행동을 부추겼는지 정확히 지적할 수 있는가?

03. 일과가 바뀌었는가?

04. 먹는 음식이 바뀌었는가?

05. 새로운 활동을 하고 있는가? 그렇다면 그 활동이 아이의 기질과 나이에 맞는가?

06. 수면 패턴―낮이나 밤―이 바뀌었는가?

07. 평소에 안 하던 외출이나 여행이나 가족 휴가를 하고 돌아왔는가?

08. 젖니가 나오고 있거나, 어떤 사건(작은 사고라도)이나 병이나 수술에서 회복하는 중인가?

09. 부모 또는 아이와 가까운 어떤 어른이 아프거나 평소보다 바쁘거나 감정적으로 힘든 시간을 보내고 있는가?

10. 부부 싸움을 했거나, 보모가 바뀌었거나, 동생이 태어날 예정이거나, 이직이나 이사를 했거나, 가족의 병이나 죽음과 같은 아이에게 영향을 줄 수 있는 어떤 일이 있었는가?

11. 아이의 어떤 행동에 계속 양보를 함으로써 본의 아니게 그 행동을 점점 더 강화했는가?

12. 최근에 어떤 육아 방법이 '효과가 없다'고 생각해서 새 방법으로 바꾸었는가?

12가지 문제 해결 원칙

'돌발 상황'에 부딪히면 심호흡을 한 번 하자. 12가지 핵심 질문을 해보고 객관적인 부모의 눈으로 상황을 바라보자. 그리고 다음의 12가지 문제 해결 지침을 바탕으로 행동 계획을 세운다. 상식을 활용하고 충분히 생각하는 것이 중요하다.

01. 문제의 근본 원인을 밝힌다.
02. 무엇을 가장 먼저 해결할지 판단한다.
03. 기본으로 돌아간다.
04. 바꿀 수 없으면 받아들여라.
05. 이 방법은 장기적인 해결책인가?
06. 아이가 필요로 할 때 위안을 해준다.
07. 상황을 주도한다.
08. 항상 아이가 오게 하지 말고 아이에게 간다.
09. 계획대로 이행한다.
10. P.C. 부모가 되자.
11. 나 자신을 보살핀다.
12. 경험에서 배운다.

> **tip** 달래기와 관심 돌리기
>
> 만일 아기가 7개월에서 9개월 무렵에 갑자기 엄마가 방에서 나가면 울기 시작하거나, 낮잠과 밤잠에 문제가 생긴다면 분리불안이 시작된 것일 수 있다. 많은 아기들이 처음 엄마와 떨어지는 것을 인식하면서 분리불안을 겪는다. 이러한 분리불안이 고질적인 문제가 되지 않도록 하려면,
>
> - 아기가 울면 눈높이를 맞추고 말과 포옹으로 달래주되 안아 올리지 않는다.
> - 아기의 울음에 편안하고 쾌활한 태도로 반응한다.
> - 아기를 걱정하는 듯한 목소리로 말하지 않는다.
> - 아기가 다소 진정이 되면 관심을 다른 곳으로 돌린다.
> - 수면 문제를 해결하기 위해 '퍼버법'에 의지하지 말라. 퍼버법은 아기의 믿음을 무너트리고 버림받은 기분을 느끼게 한다.
> - 까꿍놀이를 해서 잠시 엄마가 보이지 않아도 다시 돌아온다는 것을 알게 한다.
> - 잠시 아기를 혼자 두고 동네를 한 바퀴 돌고 온다.
> - 집을 나설 때 배우자나 보모가 문까지 데리고 나오게 해서 인사를 나눈다. 아기가 계속 울 수 있다. 아기가 엄마에게 의존하는 것은 당연하지만 신뢰를 배우도록 해야 한다.

E.A.S.Y. 일지

년   월   일

시간	E 먹이기				A 활동		S 잠	Y 엄마
	수유량/시간	왼쪽/오른쪽 젖	대변	소변	무엇/시간	목욕	길이	휴식/용무/깨달음/평가
6								
7								
8								
9								
10								
11								
12								
1								
2								
3								
4								
5								

6

7

8

9

10

11

12

1

2

3

4

5

6

E.A.S.Y. 일지

시간	E 먹이기				A 활동		S 잠	Y 엄마
	수유량/시간	왼쪽/오른쪽 젖	대변	소변	무엇/시간	목욕	길이	휴식/용무/깨달음/평가
6								
7								
8								
9								
10								
11								
12								
1								
2								
3								
4								
5								

E.A.S.Y. 일지

시간	E 먹이기				A 활동		S 잠	Y 엄마
	수유량/시간	왼쪽/오른쪽 젖	대변	소변	무엇/시간	목욕	길이	휴식/용무/깨달음·평가
6								
7								
8								
9								
10								
11								
12								
1								
2								
3								
4								
5								

E.A.S.Y. 일지

시간	E 먹이기				A 활동		S 잠	Y 엄마
	수유량/시간	왼쪽/오른쪽 젖	대변	소변	무엇/시간	무엇	길이	휴식/용무/깨달음/평가
6								
7								
8								
9								
10								
11								
12								
1								
2								
3								
4								
5								

6

7

8

9

10

11

12

1

2

3

4

5

6

E.A.S.Y. 일지

시간	E 먹이기				A 활동		S 잠	Y 엄마
	수유량/시간	왼쪽/오른쪽 젖	대변	소변	무엇/시간	목욕	길이	휴식/용무/깨달음/평가
6								
7								
8								
9								
10								
11								
12								
1								
2								
3								
4								
5								

E.A.S.Y. 일지

| 시간 | E 먹이기 | | | | A 활동 | | S 잠 | Y 엄마 |
	수유량/시간	왼쪽/오른쪽 젖	대변	소변	무엇/시간	목욕	길이	휴식/용무/깨달음/평가
6								
7								
8								
9								
10								
11								
12								
1								
2								
3								
4								
5								

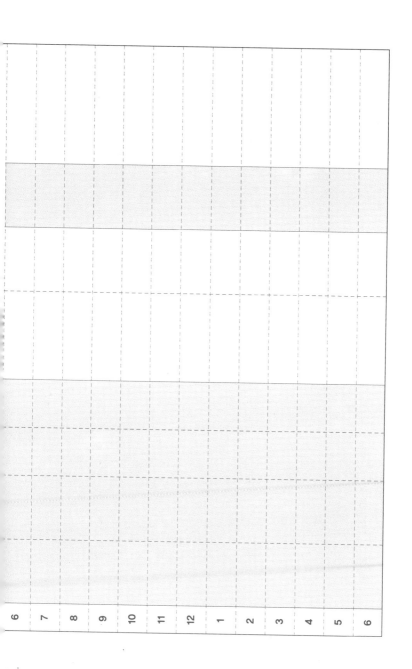

E.A.S.Y. 일지

시간	E 먹이기				A 활동		S 잠	Y 엄마
	수유량/시간	왼쪽/오른쪽 젖	대변	소변	무엇/시간	목욕	길이	휴식/용무/깨달음/평가
6								
7								
8								
9								
10								
11								
12								
1								
2								
3								
4								
5								

E.A.S.Y. 일지

시간	E 먹이기				A 활동		S 잠	Y 엄마
	수유량/시간	왼쪽/오른쪽 젖	대변	소변	무엇/시간	목욕	길이	휴식/용무/깨달음/평가
6								
7								
8								
9								
10								
11								
12								
1								
2								
3								
4								
5								

	6
	7
	8
	9
	10
	11
	12
	1
	2
	3
	4
	5
	6

E.A.S.Y. 일지

| 시간 | E 먹이기 | | | | A 활동 | | S 잠 | Y 엄마 |
	수유량/시간	왼쪽/오른쪽 젖	대변	소변	무엇/시간	목욕	길이	휴식/용무/깨달음/평가
6								
7								
8								
9								
10								
11								
12								
1								
2								
3								
4								
5								

6
7
8
9
10
11
12
1
2
3
4
5
6

E.A.S.Y. 일지

시간	E 먹이기				A 활동		S 잠	Y 엄마
	수유량/시간	왼쪽/오른쪽 젖	대변	소변	무엇/시간	목욕	길이	휴식/용무/깨달음/평가
6								
7								
8								
9								
10								
11								
12								
1								
2								
3								
4								
5								

E.A.S.Y. 일지

년   월   일

시간	E 먹이기				A 활동		S 잠	Y 엄마
	수유량/시간	왼쪽/오른쪽 젖	대변	소변	무엇/시간	목욕	길이	휴식/용무/깨달음/평가
6								
7								
8								
9								
10								
11								
12								
1								
2								
3								
4								
5								

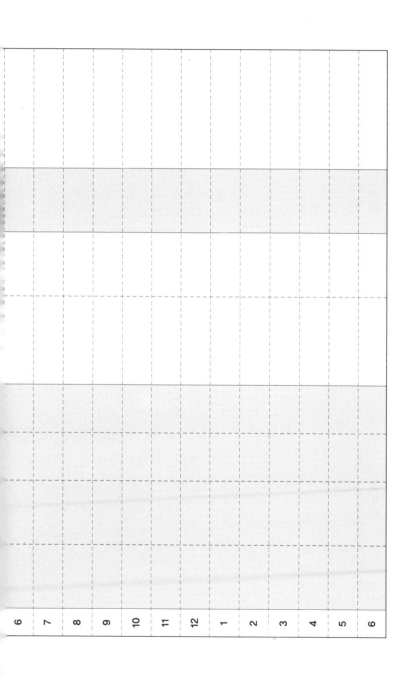

E.A.S.Y. 일지

시간	E 먹이기				A 활동		S 잠	Y 엄마
	수유량/시간	왼쪽/오른쪽 젖	대변	소변	무엇/시간	목욕	길이	휴식/용무/깨달음/평가
6								
7								
8								
9								
10								
11								
12								
1								
2								
3								
4								
5								

E.A.S.Y. 일지

시간	E 먹이기				A 활동		S 잠	Y 엄마
	수유량/시간	왼쪽/오른쪽 젖	대변	소변	무엇/시간	목욕	길이	휴식/용무/깨달음/평가
6								
7								
8								
9								
10								
11								
12								
1								
2								
3								
4								
5								

6

7

8

9

10

11

12

1

2

3

4

5

6

E.A.S.Y. 일지

년　　월　　일

시간	E 먹이기				A 활동		S 잠	Y 엄마
	수유량/시간	왼쪽/오른쪽 젖	대변	소변	무엇/시간	목욕	길이	휴식/용무/깨달음/평가
6								
7								
8								
9								
10								
11								
12								
1								
2								
3								
4								
5								

E.A.S.Y. 일지

년　월　일

시간	E 먹이기				A 활동		S 잠	Y 엄마
	수유량/시간	왼쪽/오른쪽 젖	대변	소변	무엇/시간	목욕	길이	휴식/용무/깨달음/평가
6								
7								
8								
9								
10								
11								
12								
1								
2								
3								
4								
5								

| 6 |
| 7 |
| 8 |
| 9 |
| 10 |
| 11 |
| 12 |
| 1 |
| 2 |
| 3 |
| 4 |
| 5 |
| 6 |

E.A.S.Y. 일지

시간	E 먹이기				A 활동		S 잠	Y 엄마
	수유량/시간	왼쪽/오른쪽 젖	대변	소변	무엇/시간	목욕	길이	휴식/용무/깨달음/평가
6								
7								
8								
9								
10								
11								
12								
1								
2								
3								
4								
5								

	6
	7
	8
	9
	10
	11
	12
	1
	2
	3
	4
	5
	6

E.A.S.Y. 일지

시간	E 먹이기				A 활동		S 잠	Y 엄마
	수유량/시간	왼쪽/오른쪽 젖	대변	소변	무엇/시간	목욕	길이	휴식/용무/깨달음/평가
6								
7								
8								
9								
10								
11								
12								
1								
2								
3								
4								
5								

E.A.S.Y. 일지

년   월   일

시간	E 먹이기				A 활동		S 잠	Y 엄마
	수유량/시간	왼쪽/오른쪽 젖	대변	소변	무엇/시간	목욕	길이	휴식/용무/깨달음/평가
6								
7								
8								
9								
10								
11								
12								
1								
2								
3								
4								
5								

E.A.S.Y. 일지

시간	E 먹이기				A 활동		S 잠	Y 엄마
	수유량/시간	왼쪽/오른쪽 젖	대변	소변	무엇/시간	목욕	길이	휴식/용무/깨달음/평가
6								
7								
8								
9								
10								
11								
12								
1								
2								
3								
4								
5								

E.A.S.Y. 일지

년　월　일

시간	E 먹이기				A 활동		S 잠	Y 엄마
	수유량/시간	왼쪽/오른쪽 젖	대변	소변	무엇/시간	목욕	길이	휴식/용무/깨달음/평가
6								
7								
8								
9								
10								
11								
12								
1								
2								
3								
4								
5								

E.A.S.Y. 일지

시간	E 먹이기				A 활동		S 잠	Y 엄마
	수유량/시간	왼쪽/오른쪽 젖	대변	소변	무엇/시간	목욕	길이	휴식/용무/깨달음/평가
6								
7								
8								
9								
10								
11								
12								
1								
2								
3								
4								
5								

E.A.S.Y. 일지

년   월   일

시간	E 먹이기				A 활동		S 잠	Y 엄마
	수유량/시간	왼쪽/오른쪽 젖	대변	소변	무엇/시간	목욕	길이	휴식/용무/깨달음/평가
6								
7								
8								
9								
10								
11								
12								
1								
2								
3								
4								
5								

6						
7						
8						
9						
10						
11						
12						
1						
2						
3						
4						
5						
6						

E.A.S.Y. 일지

시간	E 먹이기				A 활동		S 잠	Y 엄마
	수유량/시간	왼쪽/오른쪽 젖	대변	소변	무엇/시간	목욕	길이	휴식/용무/깨달음/평가
6								
7								
8								
9								
10								
11								
12								
1								
2								
3								
4								
5								

E.A.S.Y. 일지

시간	E 먹이기				A 활동		S 잠	Y 엄마
	수유량/시간	왼쪽/오른쪽 젖	대변	소변	무엇/시간	목욕	길이	후식/용무/깨달음/평가
6								
7								
8								
9								
10								
11								
12								
1								
2								
3								
4								
5								

E.A.S.Y. 일지

시간	E 먹이기				A 활동		S 잠	Y 엄마
	수유량/시간	왼쪽/오른쪽 젖	대변	소변	무엇/시간	목욕	길이	휴식/용무/깨달음/평가
6								
7								
8								
9								
10								
11								
12								
1								
2								
3								
4								
5								

E.A.S.Y. 일지

년 월 일

시간	E 먹이기				A 활동		S 잠	Y 엄마
	수유량/시간	왼쪽/오른쪽 젖	대변	소변	무엇/시간	목욕	길이	휴식/용무/깨달음/평가
6								
7								
8								
9								
10								
11								
12								
1								
2								
3								
4								
5								

시간	E 먹이기				A 활동		S 잠	Y 엄마
	수유량/시간	왼쪽/오른쪽 젖	대변	소변	무엇/시간	목욕	길이	휴식/용무/깨달음/평가
6								
7								
8								
9								
10								
11								
12								
1								
2								
3								
4								
5								

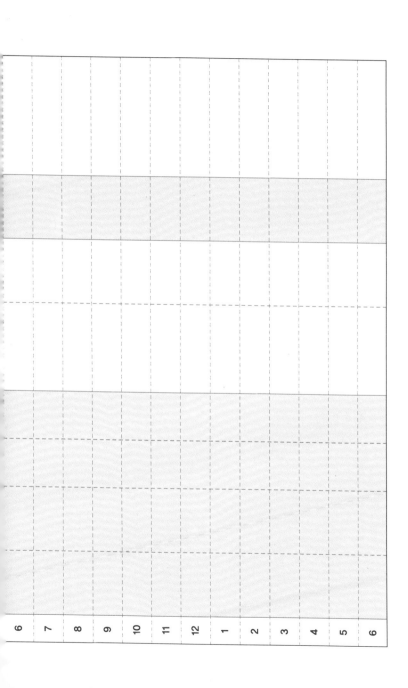

E.A.S.Y. 일지

시간	E 먹이기				A 활동		S 잠	Y 엄마
	수유량/시간	왼쪽/오른쪽 젖	대변	소변	무엇/시간	목욕	길이	휴식/용무/깨달음/평가
6								
7								
8								
9								
10								
11								
12								
1								
2								
3								
4								
5								

E.A.S.Y. 일지

년   월   일

시간	E 먹이기				A 활동		S 잠	Y 엄마
	수유량/시간	왼쪽/오른쪽 젖	대변	소변	무엇/시간	목욕	길이	휴식/용무/깨달음/평가
6								
7								
8								
9								
10								
11								
12								
1								
2								
3								
4								
5								

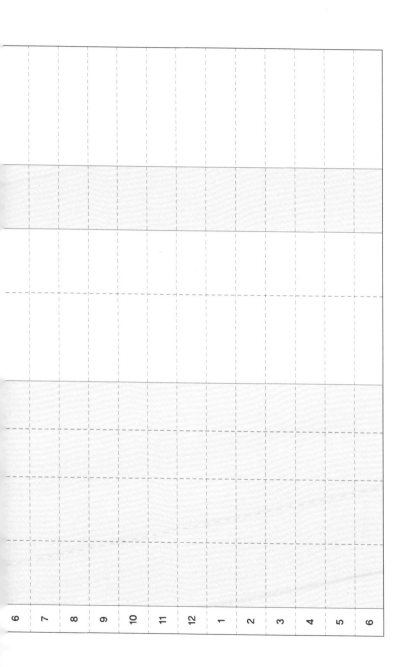

6

7

8

9

10

11

12

1

2

3

4

5

6

E.A.S.Y. 일지

| 시간 | E 먹이기 | | | | A 활동 | | S 잠 | Y 엄마 |
	수유량/시간	왼쪽/오른쪽 젖	대변	소변	무엇/시간	목욕	길이	휴식/용무/깨달음/평가
6								
7								
8								
9								
10								
11								
12								
1								
2								
3								
4								
5								

E.A.S.Y. 일지

| 시간 | E 먹이기 | | | | A 활동 | | S 잠 | Y 엄마 |
	수유량/시간	왼쪽/오른쪽 젖	대변	소변	무엇/시간	목욕	길이	휴식/용무/깨달음/평가
6								
7								
8								
9								
10								
11								
12								
1								
2								
3								
4								
5								

	6
	7
	8
	9
	10
	11
	12
	1
	2
	3
	4
	5
	6

E.A.S.Y. 일지

년　　　월　　　일

시간	E 먹이기				A 활동		S 잠	Y 엄마
	수유량/시간	왼쪽/오른쪽 젖	대변	소변	무엇/시간	목욕	길이	휴식/용무/깨달음/평가
6								
7								
8								
9								
10								
11								
12								
1								
2								
3								
4								
5								

E.A.S.Y. 일지

시간	E 먹이기				A 활동		S 잠	Y 엄마
	수유량/시간	왼쪽/오른쪽 젖	대변	소변	무엇/시간	목욕	길이	휴식/용무/깨달음/평가
6								
7								
8								
9								
10								
11								
12								
1								
2								
3								
4								
5								

E.A.S.Y. 일지

| 시간 | E 먹이기 | | | | A 활동 | | S 잠 | Y 엄마 |
	수유량/시간	왼쪽/오른쪽 젖	대변	소변	무엇/시간	목욕	길이	휴식/용무/깨달음/평가
6								
7								
8								
9								
10								
11								
12								
1								
2								
3								
4								
5								

6

7

8

9

10

11

12

1

2

3

4

5

6

E.A.S.Y. 일 지

시간	E 먹이기				A 활동		S 잠	Y 엄마
	수유량/시간	왼쪽/오른쪽 젖	대변	소변	무엇/시간	목욕	길이	휴식/용무/깨달음/평가
6								
7								
8								
9								
10								
11								
12								
1								
2								
3								
4								
5								

E.A.S.Y. 일지

년　월　일

| 시간 | E 먹이기 | | | | A 활동 | | S 잠 | Y 엄마 |
	수유량/시간	왼쪽/오른쪽 젖	대변	소변	무엇/시간	목욕	길이	휴식/용무/깨달음/평가
6								
7								
8								
9								
10								
11								
12								
1								
2								
3								
4								
5								

6
7
8
9
10
11
12
1
2
3
4
5
6

E.A.S.Y. 일지

시간	E 먹이기				A 활동		S 잠	Y 엄마
	수유량/시간	왼쪽/오른쪽 젖	대변	소변	무엇/시간	목욕	길이	휴식/용무/깨달음/평가
6								
7								
8								
9								
10								
11								
12								
1								
2								
3								
4								
5								

6

7

8

9

10

11

12

1

2

3

4

5

6

E.A.S.Y. 일지

시간	E 먹이기				A 활동		S 잠	Y 엄마
	수유량/시간	왼쪽/오른쪽 젖	대변	소변	무엇/시간	목욕	길이	휴식/용무/깨달음/평가
6								
7								
8								
9								
10								
11								
12								
1								
2								
3								
4								
5								

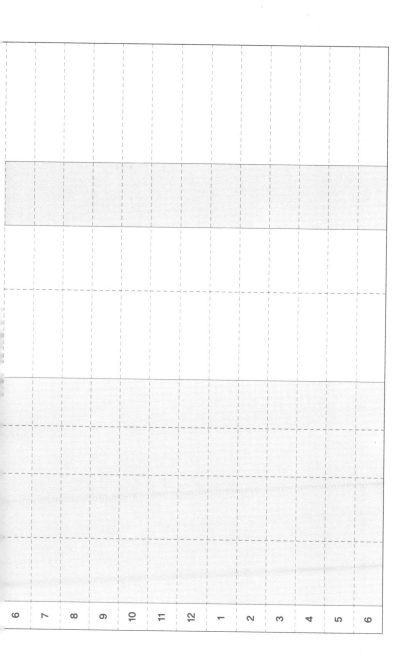

E.A.S.Y. 일지

년   월   일

시간	E 먹이기				A 활동		S 잠	Y 엄마
	수유량/시간	왼쪽/오른쪽 젖	대변	소변	무엇/시간	목욕	길이	휴식/용무/깨달음/평가
6								
7								
8								
9								
10								
11								
12								
1								
2								
3								
4								
5								

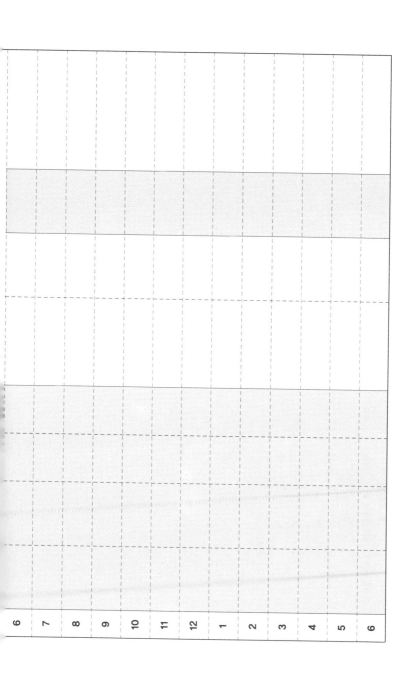

6
7
8
9
10
11
12
1
2
3
4
5
6

E.A.S.Y. 일지

시간	E 먹이기				A 활동		S 잠	Y 엄마
	수유량/시간	왼쪽/오른쪽 젖	대변	소변	무엇/시간	목욕	길이	휴식/용무/깨달음/평가
6								
7								
8								
9								
10								
11								
12								
1								
2								
3								
4								
5								

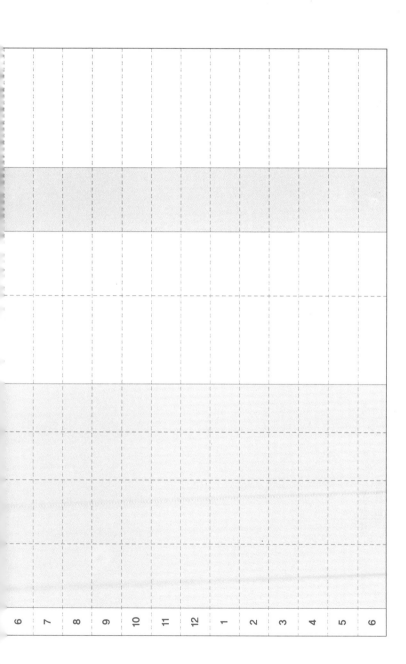

E.A.S.Y. 일지

년   월   일

| 시간 | E 먹이기 | | | | A 활동 | | S 잠 | Y 엄마 |
	수유량/시간	왼쪽/오른쪽 젖	대변	소변	무엇/시간	목욕	길이	휴식/용무/깨달음/평가
6								
7								
8								
9								
10								
11								
12								
1								
2								
3								
4								
5								

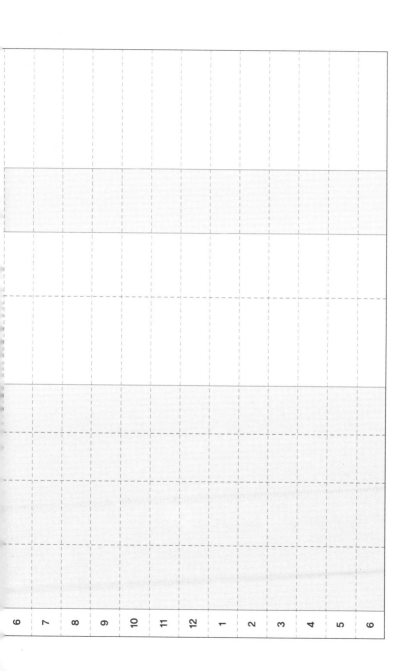

6
7
8
9
10
11
12
1
2
3
4
5
6

E.A.S.Y. 일지를 쓴 후로 어떤 변화가 있었나요?

아기의 변화

엄마의 변화

가족의 변화

남기고 싶은 말

